SHONAN DAYS

ISSUE 02

Noguchi Takehiko

瀬川祐輔

Kaneko Shin-ichiro

Kaneko Shin-ichiro

SHONAN DAYS

ISSUE 02

Contents

thisisne
verthat™
Bristol
Bris

Sugioka Daiki
Tachi Koki
Tomii Daiki

杉岡大暉×舘幸希×富居大樹

鼎談

再認識できたこと

**試合ではキャプテンマークを巻いてチームをまとめるDF杉岡大暉、
対人の強さをさまざまな局面で発揮して相手の攻撃を封じるDF舘幸希、
長期離脱から復帰を果たして出場を目指すGK富居大樹、
後方のポジションでプレーする3人がお互いの印象を語った。**

取材・文=大西 徹　Words by Onishi Toru
写真=兼子愼一郎　Photogrphy by Kaneko Shin-ichiro

「先輩だと思ってて、ずっと敬語を使ってた」(富居)

──今回の組み合わせを聞いたとき、どう感じましたか？

杉岡　初めてですよね。

富居　初めてだよ。

舘　なんでだろう？

杉岡　なかなかないですよ。

富居　DFとGK、ですよね？

──そうですね。もう一つの共通点は、高校サッカー部出身です。

杉岡　トミくんは(サッカー部)っぽくない(笑)。

富居　おれ、ユースっぽい？

杉岡　ユースっぽい。大卒だからかな。

舘　トミくんの高校ってどこですか？

富居　なんだよ(笑)。

杉岡・舘　ハハハハハ。

富居　(杉岡のほうを向いて)分かるでしょ？

杉岡　武南でしょ？

富居　おう。

舘　えっ、そうなの？

杉岡　おれは知ってた。

舘　東京国際(大学)のイメージしかない。

富居　武南高校は選手権(全国高校サッカー選手権大会)に出てるから。

舘　(小声で)武南高校なんだ。

──舘選手は知らなかったんですね。

舘　(小声で)知らなかった……。

杉岡　ハハハ。

──杉岡選手は知ってたんですね。

杉岡　おれは武南にちょっと行こうとしてたから。

富居　まじで？

杉岡　はい。

富居　自分より下の代は選手権に出てないんだよね。

──富居選手と杉岡選手は2017年に対戦相手として同じ試合のメンバーに入っています。

杉岡　J2の山形vs湘南ですね(第24節)。おれ、ホームの

2

Sugioka

Profile

杉岡大暉（すぎおかだいき）

1998年9月8日生まれ、東京都足立区出身。182cm、75kg

サッカー歴 レジスタFC ▶ FC東京U-15深川 ▶ 船橋市立船橋高校 ▶ 湘南ベルマーレ ▶ 鹿島アントラーズ ▶ 湘南ベルマーレ

試合には出てないから。
富居　3-0で山形が勝った試合か。（公式記録を見ながら）後半に3点取った試合だ。加賀（健一）さんとトヨ（阪野豊史）が決めたんだ。
――その試合でお互いの存在を認識していましたか？
富居　してないですね。おれは試合に出てないし。
杉岡　覚えてないですね。
――ということは当時は全く面識がなかった。
杉岡　なかったですね。トミくんが（湘南に）入ってきてからです。
富居　そうだね。
――2018年に富居選手が加入してきたときの最初の印象は？
杉岡　怖そうな人が来たなって（笑）。
富居　よく言うよ。大暉と初めて会ったとき、見た目が老けてるから先輩だと思ってて、ずっと敬語を使ってたんですけど、大暉は自分が年下だって言わないんですよ。他の人が「スギ、全然下だよ」って教えてくれて、そしたらめっちゃ下だった。
杉岡　9歳下です。トミくんは見た目が怖かった。その頃は金髪でしたっけ？
富居　ちょっと茶色かった。髪を染めてるとあまり良くないかと思って、黒くして行って、ちょっと（色が）落ちてたぐらい。
――もしかしてお互いに警戒していたのでは？
富居　警戒してましたね。
杉岡　ハハハ。
――お二人は2019年のルヴァンカップ横浜FM戦で同じピッチに立っています（第2節、ホーム、2-0）。
杉岡　（公式記録を見ながら）ケガ人がめっちゃ多かったときだ。
富居　2018年はルヴァンに出てないの？
杉岡　たぶんアンダー世代の代表に行ってて、そんなに出てないから。
富居　この試合、大暉はサブじゃん。
杉岡　ほんとだ。レレウが決めたときですね。
富居　ループでしょ。秋野（央樹）がセンターバックをやってた。
杉岡　はいはいはい。覚えてる。トミくんと一緒に出たのはけっこう後なんだ。意外ですね。

Daiki

「今より5kg ぐらい太ってたと思う」（杉岡）

――続いて杉岡選手と舘選手の関係も教えてください。同じチームになったのは舘選手がJFA・Jリーグ特別指定選手として加入した2019年ですね。
杉岡　そうですね。じゃあその年は一緒に本格的にはやってないのか。
舘　だって2019年、おれは試合に出てないから。
杉岡　おれは2020年から（鹿島に移籍して）いないからね。そうだったんだ。
――高校時代に対戦した経験は？
杉岡　対戦してるけど、覚えてないです。
舘　俺は覚えてます。
杉岡　ハハハハハ。
舘　市船とやるなんて、と思ってたので、覚えてます。
富居　え、かぶってんの？
杉岡　1歳差なんで、おれら（※舘選手が1学年上）。
富居　そうなの？　大暉のほうが年上だと思ってた。
杉岡　ハハハ。おれは森島司くんが（四中工に）いることしか知らなかったから。たぶん一回だけ練習試合をして、司くんのことだけ覚えています。舘くんのことは知らなかったな。
舘　大暉はアンダー世代の代表に選ばれてたし、市船には有名な人が多かったので覚えてます。大暉がPKを与えてました。
杉岡　え、うそ。
舘　ハハハ。大暉がファウルしてPKを与えて司が決めてた。
杉岡　え、覚えてないな。
舘　でも、しっかり負けました。1-3で。
――やっぱり市船は強かったですか？
舘　めっちゃ強かったです。大暉がめっちゃごつかった。
杉岡　太ってたから。今より5kgぐらい太ってたと思う。
舘　だから、ここで会ったときに意外とシャープだなと思いました。
杉岡　ハハハ。
富居　痩せたよね？　こっちに帰ってきたとき、しゅっとしてると思った。
――舘選手は2019年に湘南に来て、杉岡選手と交流は？
舘　そんなにしゃべってないよね。最初はケガしてたイメージがあるんだけど。
杉岡　2019年の最後はケガしてた。舘くんと本格的にやったのは、こっちに帰ってきてからなんだ。
舘　帰ってきたのはいつだっけ？
杉岡　去年の夏。
――二人が初めて同じピッチに立ったのは、2021年のJ1第24節名古屋戦です（アウェー、0-1）。
杉岡　舘くんがマークを外した試合ですね。

館　ああ。途中から出た試合だ。
杉岡　意外ですね。もっと一緒にやってるイメージがあったから。
――二人でどこかに出掛けたりというのは。
館　ないです。
杉岡　ないですね。舘くんがこんなんだから(笑)。
舘　大暉は既婚者なんで。
杉岡　確かに帰ってきたときはもう結婚してたから。
――続いて、富居選手と舘選手の関係は？
富居　なんもないです。
杉岡　ハハハ。
――二人が出会ったのも2019年ですね。
舘　ヤンキーみたいな人がいるなと思ってました。まじで怖かったですもん。
富居　どこが怖いんだよ。
舘　いや、怖いよね。
杉岡　怖い。
――どういうときに怖いと感じますか？
舘　え？ 風貌じゃないですか。
富居　風貌(笑)。
杉岡　フフフ。
舘　しゃべったら普通なんですけど。
富居　見た目が良くない？
舘　見た目が怖い。
――馬入では富居選手の声が響き渡っています。
杉岡　前より言ってますよね。
富居　うん、言ってると思う。
杉岡　(秋元)陽太さんがいたときは、そういう役割をやってくれてたけど、陽太さんがいなくなって、トミくんがそういう役割をやってくれてるな、とおれは思ってます。
富居　やめろやめろ。恥ずかしい。
杉岡　ハハハハハ。
舘　確かに。
富居　確かにじゃねえよ(笑)。
――そこはやっぱり意識していますか？
富居　ちょっとは。今の年齢がその頃の陽太さんと同じぐらいになってきたので、言うところは言わないといけないな、という気持ちはありますね。
――富居選手から見た舘選手の当時の印象は？
富居　2019年の最後のほう、メンバーに入ってたよね？
舘　入ってた。
富居　でも、メンバーに入ると負ける。
杉岡・舘　ハハハハハ。
舘　負ける、じゃなくて、追い付かれる、だから。
富居　あ、そうだ、終了間際に追い付かれるんだった。
舘　FC東京戦(第32節)と松本山雅戦(第34節)で入りました(※舘選手はサブに入ったものの出場機会はなし)。
富居　広島戦(第33節)のメンバーには入らなかったんだよね。
舘　入らなかった。
富居　そしたら1-0で勝って。
杉岡　ハハハ。
富居　最終節で松本山雅に終了間際に入れられて地獄だったな。まあ冗談ですけどね(笑)。
舘　あのときトミくんが出てたんだよね。
富居　そう。だからなおさらだよ。
舘　おれが試合に出たら結果は良かったかもしれないですよ(笑)。
富居　そうか、逆にね(笑)。出てなかったからそうなったのか。
――富居選手と舘選手は2020年のルヴァンカップ第1節大分戦(ホーム、1-0)でスタメンに入っています。
富居　その年はルヴァンからだった。
舘　そうです。開幕戦でしたね。
富居　(公式記録を見ながら)シュート3本しか打ってないじゃん。
杉岡　梅さん(梅崎司)がPKを決めてる。
舘　おれのデビュー戦でした。なんにもできなかったけど。
富居　大卒で新加入でスタメンでしょ？

Tachi

舘　そうですよ。
富居　すごいじゃん。
舘　(小声で)サイドボランチでした。
杉岡　え、そうなの？
――手応えはつかめましたか？
舘　周りが見えなかったです。
富居　おれは「舘ー！」って言った記憶とか、周りもそう言っていた記憶がうっすらある。
舘　みんなに言われました。
富居　だっていつものポジションとは違ってたからね。
舘　それにしてもできなかったです。ただ、今となっては。
富居　今となっては舘さんはすごいですよ。
舘　いやそんなことないです(笑)。

「トミくんはルーティーンを大事にしています」(舘)

――お互いの最近のプレーを見てどんなふうに感じているか教えてください。杉岡選手と舘選手は、富居選手のプレーを見ていかがですか？

4

Koki

Profile

舘幸希（たちこうき）

1997年12月14日生まれ、三重県鈴鹿市出身。173cm、73kg

サッカー歴 鈴西サッカースポーツ少年団 ▶ 伊賀FCジュニアユース ▶ 三重県立四日市中央工業高校 ▶ 日本大学 ▶ 湘南ベルマーレ

※2019年JFA・Jリーグ特別指定選手（湘南ベルマーレ）

23

Tomii

Profile

富居大樹(とみいだいき)

1989年8月27日生まれ、埼玉県さいたま市出身。184cm、74kg

サッカー歴 浦和木崎サッカースポーツ少年団 ▶ 浦和レッズジュニアユース ▶ 武南高校 ▶ 東京国際大学 ▶ ザスパクサツ群馬 ▶ モンテディオ山形 ▶ 湘南ベルマーレ

杉岡　GKとしてできないことは少ないんじゃないですかね。セービングも安定してるし、ファインセーブもあるし、足元もつなげるし、いいGKだなと思います。
富居　ありがとう。
杉岡　ハハハハハ。
舘　試合前は落ち着いてないですけどね。
富居　やめろ。
杉岡　ハハハハハ。
舘　まじで落ち着いてない。
富居　言うんじゃないよ。
舘　トミくんはルーティーンを大事にしています。
富居　ルーティーンをやりすぎてソワソワしてる。
舘「吐き気がするんだけど」って小声で言ってきますよね。
富居　試合前にね。
舘　あ、この人は緊張するんだ、と思って。それを見て笑ってます。
──8月の鹿島戦でも？（J1第26節、ホーム、1-1）
富居　そうなるのはサブのときじゃなくてスタメンのときですね。おれがサブのときは逆に「緊張してる？」って舘に話し掛けてます。ただ、鹿島戦で久しぶりにメンバーに入ったので、ちょっと緊張しましたけど。どういうふうに試合前を過ごしていたかちょっと忘れてました。
杉岡　ハハハハハ。
──富居選手と舘選手は、杉岡選手の今シーズンのプレーを見ていてどんなふうに感じていますか？
富居　大暉が（湘南に）帰ってきて、上から言うのもあれですけど、めっちゃうまくなったというか、鹿島で学んできたんだなって感じます。
杉岡　ハハハ。
富居　足元がうまくなってるし、状況判断もすごく良くなってるし。おれからしたら、ちょっと困っても大暉につけておけば、一人で状況を打開してチームを落ち着かせて有利な状況にしてくれるので、いてくれると楽です。困ったら大暉のところに預けておけばなんとかしてくれるから。あとは気が利くし、左足の精度が高いし、そこが見えてるんだ、という印象です。
──縦に出すパスコースがしっかり見えている、ということでしょうか。
富居　縦もそうだし、縦に出すフリをして対角にも出せるし、今年のルヴァン開幕戦みたいにするするするって行って自分で点も取れるし（ホーム福岡戦、3-1）。
杉岡　いい選手だな。ハハハハハ。
舘　いい選手がいるなあ。
富居　そりゃ代表に入るよ。
──舘選手から見た杉岡選手はいかがですか？
舘　トミくんが全部言ってくれましたよ。
杉岡　なんもしゃべってないじゃないですか（笑）。
舘　縦パスがめっちゃうまいなと思います。一つ奥につけるところとか、そこが見えてるんだと思うし、うまいなと思って見ています。ビルドアップは基本的に左でつくってくれるんで。
杉岡　ハハハ。
──右からのビルドアップは。
舘　難しいですね、やっぱり。同じことをしようと思うんですけど、難しいです。だから、大暉は難しいことを簡単にやってるなと思います。
杉岡　ありがとうございます。いやあ、うれしいです。
──富居選手と杉岡選手は、舘選手のプレーを見てどのように感じていますか？　クラブ公式サイトのプロフィールでは、ストロングポイントについて「対人の守備」と回答しています。
富居　やっぱり対人の守備ですね。
杉岡　いやあ、それに尽きますよね。
富居　この前の鹿島戦も全部勝ってたな。
杉岡　奪い切っちゃうのがすごいですよね。シュートブロックするだけじゃなくて奪い切るので。
富居　行かれた！と思っても取れちゃう。あと、気が利くし、危険察知能力を持ってるし、ポジションの細かい修正もできる。聞く耳も持っていて、後ろから指示を出すと動いてくれるから、やりやすい。いてほしいところにいてくれる。カバーリングもできるし、対人が強いし、なんだかんだ足元もうまい。
杉岡　うん。
富居　ただ一つ良くないところは……なんせしゃべれない。
舘　良くないところは聞いてないですよ（笑）。
杉岡　試合中に声を聞いたことがないですね。
富居　声が出ない。一言も聞いたことない。
舘　いやいや（笑）。
富居　おれたちとか（山口）智さんが「声を出せよ」と言っても出ない。
──それは練習中も？
富居　練習中も出ない。
舘　（小声で）出してるのにな（笑）。
──やっぱり声を出せたほうがいいと。
富居　それはもちろん。でも出ない（笑）。
杉岡　ハハハ。

Daiki

――杉岡選手から見た舘選手はいかがですか？

杉岡　守備がすごいなと思いながら逆サイドから見てますし、守備で沸かせられる選手ってなかなかいないじゃないですか。舘くんが奪い切るとスタジアムも沸くから、いいなあと思ってます(笑)。

富居　ハハハ。身体能力がね。

杉岡　おれにはまねできないことだし、調子がいいときは縦パスを出すところもすごく見えてるし持ち運びもできるので、見習うところもありますし、負けてられないなって思ってます。

富居　ジャンプ力もあるよな。

舘　(小声で)そうですか？

――8月の鹿島戦ではいつもの右ではなく左で出ていました。スタンドから見て感じたことは？

杉岡　対人が強いなと。

富居　ペナルティーエリアのちょっと外ぐらいで体を入れてボールを取った場面があったよね。

杉岡　ほんとああいうのはすごいですよね。うらやましいです。

――という感じでお二人に解説していただきました。

舘　めちゃくちゃいいですね〜、この話は。

富居　褒められて気持ち良くなってる。

杉岡　ハハハ。

「やっぱりこのピッチに立ちたい」(富居)

――今年3人がそろって出場したのが2試合。どちらもルヴァンカップFC東京戦です(第3節、アウェー、1-2／第4節、ホーム、2-1)。

杉岡　どっちもFC東京戦なんだ。

舘　僕は真ん中だったんですよ、両方とも。

杉岡　そうだね。

舘　だから隣と真後ろに二人がいたから安心感はありましたよ。

富居　勝った試合は全体的に良かったよね。

杉岡　しかもトミくんは1試合に1回は絶対にビッグセーブをするから。

舘　するよね、なんか。

富居　なんかってなんだよ(笑)。

杉岡・舘　ハハハ。

――富居選手は8月の鹿島戦で久々のメンバー入りをしました。あの場所に久しぶりに立って感じたことは？

富居　やっぱりいいなと思いました。アップをしているときも、サポーターがいっぱい来ていて、応援してくれる人もたくさんいて、雰囲気が良かった。試合の話でいうと、久しぶりにピッチサイドで見て、あの試合に関しては躍動感があったなと感じたし、やっぱりこのピッチに立ちたいなという気持ちにもなりました。

――試合が終わってお客さんがいなくなった後、一人で黙々と走ってましたね。いろんな思いをかみ締めていたんじゃないですか。

富居　アップしかやってなかったし、次の日もトレーニングゲームがあったので、体を動かしておきたいなと思って。

――そうだったんですね。そういえばあの試合では谷晃生選手がキャプテンを務めていました。3人が声を掛けたりサポートしたり、というのは？

富居　晃生に関してはサポートしなくても。

杉岡　年齢関係なくいちばん大舞台を経験してるし、いちばんすごい人たちを見てきてるので。普段話していても、一つ上のレベルで見てるなと感じます。

富居　おれらが特別声を掛けることはないし、晃生なりに自分で考えていることもあるだろうし、わざわざ声を掛ける必要もないのかなと。

舘　晃生に自分が言うまでもないというか。

――以前、『SHONAN BOOK』の鼎談で「キャプテンマークを巻きたい」と話していました。

杉岡　ずっと言ってますね。「キャプテンマークを巻きたい」とか「GKがキャプテンってカッコいいよね」とかって。

富居　晃生、気合入ってたもんね。

舘　「やっと来たか」って(笑)。

富居　晃生が円陣のときに、「行くぞ」じゃなくて「さあ行くぞ」って「さあ」を入れるから、みんなタイミングを取りづらくて。
杉岡　ハハハ。
──ロッカールームでの円陣ですね。
富居　そうです。普通に「行くぞ」って言えばいいのに「さあ行くぞ」って言うから、終わってから、なんなんあれ？っていじってました(笑)。
──今シーズンも残りわずかとなりました。今後の試合で意識していきたいことについて教えてください。
杉岡　最初はなかなか勝てなくて、その後は負けなしで積み上げることができて、またちょっとベースの部分を忘れて、この前はそれを取り戻せたので、また新しくというよりも、自分たちのベースに積み重ねていくしかないと思っています。そうやって積み重ねができれば結果がついてくることは自分たちがいちばん分かってるので、それをピッチで表現するだけです。
──磐田戦で敗れて(第23節、アウェー、0-1)、札幌戦で大敗して(第24節、ホーム、1-5)、あらためてチームにとって大事なものが見えてきたのでしょうか。
杉岡　そうですね。その前の2試合は引き分けて(第21節、アウェー広島戦、1-1／第22節、ホーム福岡戦、0-0)、なんとなくまだ負けてないという空気が流れていた中で、負けてはいけない試合で2連敗してしまいました。シーズンの終わりまでしっかり戦っていかないといけないという気持ちをみんなが持ったと思います。
舘　大暉も言ったように、自分たちのやれることやいいところを出して、自分たちのサッカーができれば、結果はついてくると智さんも言っています。そういう中で僕たちは、相手がどこであろうと戦える自信は実感として持っているので、札幌にああいう負け方をした以上、まずはベースとして戦う土台に乗らないといけないと思っています。これからは残りの試合で結果を出さないといけないので、自分たちのいいところを出すのは大事なんですけど、結果に結びつけるような戦いをしないといけないなと感じています。

富居　これまでやってきた部分を出せれば、相手がどこであろうとしっかりできると思うし、実際にこの前の鹿島戦ではできてました。一人ひとりがこれぐらいでいいやっていう気持ちになってしまうとやっぱり勝てないし、その点はチーム全体として再認識できた部分でもあると思います。残りの試合でそこを出すか出さないかで結果も変わってくることはみんな分かっているので、選手全員が重く受け止めて、これまでやってきたことをピッチで出せれば、結果はついてくると思います。
──日々の練習でもいい方向に向かっていると感じますか？
富居　GKなのでみんなと合流する時間は限られてるけど、練習のときから強度が高いですし、もともと強度は高いチームですけど、スイッチが入ったというか、やってやるぞという気持ちもみんなから感じています。そういう部分は最後まで一人ひとりが継続しないといけないところだと思います。練習で紅白戦をやっていても、ボールに寄せるスピードがいつもよりも速いと感じていますし、そういう状態までの持っていき方も、監督やスタッフがいろいろ考えてくれているので、あとは選手が期待に応えて、どれだけピッチで出せるかだと思います。 S

Barada Akimi

茨田陽生×大橋祐紀

Ohashi Yuki

対談

勝利へのこだわり

前線では体を張り積極果敢に攻撃を仕掛けて存在感を示すFW大橋祐紀。
中盤で落ち着いてボールをさばき前線に正確なパスを出すMF茨田陽生。
今年はチームが困難にぶつかるたびに選手同士で話し合いを重ねてきたという。
勝利のために突き進む二人が現在考えていることとは?

取材・文=隈元大吾　Words by Kumamoto Daigo
写真=兼子愼一郎　Photogrphy by Kaneko Shin-ichiro

「前から勢いを持って奪いに行く姿勢があった」(茨田)

――残り10試合となったJ1第26節鹿島戦(ホーム)は、結果は1-1でしたが、素晴らしい内容だったと思います。あらためて振り返っていかがですか?

大橋　ここは先輩から(笑)。

茨田　ハハハ。そうですね、その前の札幌戦の大敗(ホーム、1-5)を糧に、チーム全員がしっかりとやるべきことを表現できた試合だったと思いますし、残り9試合に向かっていく上でもベースになる戦いだったと思います。

大橋　僕はゴールを取りたかったですね。鹿島さんを相手に攻める時間も多かったと思いますし、早い時間に点を取れればチームが楽になったかなと思います。

――札幌戦の反省を踏まえて、何を改善しましたか?

茨田　札幌戦はチームの特徴である守備の強度や連係、勢いがなかったと思うし、そこでリズムをつくれなかったぶん後手を踏んだと思います。でも鹿島戦は守備で先手を取り、前から勢いを持って奪いに行く姿勢があったからこそバックラインも落ち着いてプレーできたのかなと個人的には思いますね。

大橋　一人ひとりが強度を意識して、セカンドボールだったり、反応が全体的に速かったと思います。

――鹿島戦の試合後、舘幸希選手が「攻撃のアイデアが多かった」と話していました。

大橋　やっている選手たちの距離感の問題じゃないですか。距離感が良ければ、どんな選手との掛け合いでもうまくいくと思う。

茨田　あと舘がそう思ったということは、前の選手の動き出しや受ける意欲がいつも以上にあったからこそ後ろの選手にとってはパスコースがいくつもあって、アイデアがいろいろ出てきたんじゃないかなと思いますね。

――先ほど茨田選手が指摘したように、守備でリズムをつくれるといい攻撃が生まれる。

大橋　そうですね、それはありますね。

茨田　そう思います。

――守備の際、茨田選手が前の選手を動かす上で意識したことはありますか?

茨田　動かすというより、FWの選手が後ろを見ないで行動できたときは、中盤も連動してつながり、そのタイミングでディフェンスラインもつながることができると思う。鹿島戦は、前の選手が後ろをちらっと見たり、後ろの声を待ったりするのではなく、自分の意志でボールを取りに行った

Barada

14

Profile

茨田陽生（ばらだあきみ）

1991年5月30日生まれ、千葉県浦安市出身。173cm、63kg

サッカー歴 FC浦安ブルーウイングス ▶柏レイソルU-12 ▶柏レイソルU-15 ▶柏レイソルU-18 ▶柏レイソル ▶大宮アルディージャ ▶湘南ベルマーレ

※2009年柏レイソル2種登録

りポジションを取ったりすることが非常に多かったと思いますね。
大橋　鹿島は4枚のDFが幅を広く取ってくるので、ボールを下げたら行こうと思っていました。GKに下げて展開するのではなく、やり直さないで蹴ってくれたので、それが良かったのかなと思います。
――あの試合は今後の基準になると言えますか？
大橋　はい。どう勝ちに持っていけるかはすごく大事なので、あとはそこをどれぐらい高められるかだと思います。
茨田　そうですね、まずは鹿島戦の守備の強度をベースにやらなければいけないし、その上でもっと結果にフォーカスして自分たちの質を高めていかなければいけないと思います。
――鹿島戦は2人の絡みも多かった印象です。
茨田　もっと絡んでもよかったかなと思いましたね。パスを出すタイミングはもっとあっただろうし、もう少しいい状態でパス交換できただろうし、もっとお互いを見て質を高められたら得点チャンスも多くできると思いますね。
大橋　お互いに目が合うのはなかなか難しいので、前としてはもう少し大きく動き出して、「ここ」って分かりやすく「こう行って」と後ろから言われることもありますし、後ろの選手に前に出てほしいときは僕らも言いますし。
茨田　そうですね、僕自身は基本、おーちゃんのやりたいようにやってもらってサポートできたらと思っています。持っているものはすごいので、それをどれだけ自由に試合で出せるかだと思うので。
――その点、大橋選手としては主体的に動けている感覚はありますか？
大橋　主体的というか、どの選手とやっても、例えば前に運ぶのが得意とか、パスが得意とか、特徴は分かっているので、無意識に合わせながらやっているかなと思いますね。ただ、周りがサポートしてくれるぶんシンプルに落とすことも多いですけど、もう少し自分で行く場面を増やしていけたらプレーが広がるかなと思っています。簡単に落としてリズムが出るのはいいことなので、それもありつつ、別の選択肢も持っているともっといいのかなと思います。
茨田　おーちゃんがターンして前に運んでくれたら後ろの自分たちは追い越す動きもできるだろうし、サポートできる。なにより前の選手が前を向いてくれると助かるし、チーム全体もラインが上がるだろうし、もっと前に前にという

Akimi

提示できればと思います。

「自分で行く場面を増やしていけたらプレーが広がる」（大橋）

――一緒に出たときに特に意識していることはありますか？
茨田　おーちゃんは前で起点になってくれますし、体を張れるところが特徴だと思うので、できるだけ早く前向きでサポートしたり、追い越したり、近くでサポートすることをイメージしてプレーしていますね。
大橋　サイドボランチをやっているメンバーの中でもバラくんはパサー型なので、バラくんが前を向いたときはできる限り動き出すように、そこでスピードを上げようと思いながらプレーしています。
――ポジション的に近いですが、試合中は話していますか？
大橋　そんなに話してないですよね。
茨田　うん、そんなにないですね（笑）。
大橋　うまくいかないときぐらいじゃないですか。守備で状況になると思います。
――今シーズンをあらためて振り返ると、J1第9節G大阪戦で初勝利を挙げ（アウェー、1-0）、J1第14節神戸戦（ホーム）以降さらに勝点を積み上げていきました。
茨田　シーズン当初は、うまくやろうとし過ぎていた部分があったんじゃないかなと思います。自分たちがボールを持ってどうにかしようという意識が強くて、前の選手が裏に抜けているのに横パスをしてつないで、いい形で崩そうとしてなかなかうまくいかなかった。でも自分たちは、鹿島戦もそうですけど、前からプレスをかけ、後ろの選手が奪ってリズムが生まれる。今はプレスに行くところでリズムをつくり、つなげるところはつなぐというバランスを取れるようになったと思います。
大橋　そうですね、シンプルになったのかなと思います。割り切りではないけど、裏に蹴るのもそうですし、勝点を積み上げられているときは、みんなが前から行って、その使い分けをシンプルにできていると思う。逆に大敗した試合や失点シーンを見ると、相手が前から来て、自分たちが後ろで難しくなることもあった。相手にとって嫌なことを先にできているときは主導権を握れることが多いのかなと、ベ

ンチで見ていても思います。全部の試合ではできていないですけど、自分たちの強みを理解できていることは残りの試合を戦う上で大きいと思いますね。

――それができるようになったターニングポイントはいつですか？

茨田　挙げるのは難しいですね。今年は何回か大敗しているので。

大橋　選手だけで話したときじゃないですかね。

茨田　話して良くなって、また悪くなって話して……だよね。

大橋　「シンプルにやろう」みたいな、答えはだいたい同じなので。

茨田　うん、そうだね。あまりいい立ち返り方ではないけど。

――選手同士で話したのはJ1第11節清水戦（ホーム、1-4）の後ですか？

大橋　いや、清水戦だけじゃないと思います。何回かあるので。

茨田　そうそう、何回かあります。そのたびにうまくできていた試合を思い返して、みんなで立ち返ろうという感じですね。

ますが、個人的なターニングポイントはありますか？

茨田　僕は毎日同じように過ごし、コンディションを整えて試合に挑み、自分のパフォーマンスをどれだけ出せるかを考えているので、ターニングポイントは特にないですね。

大橋　僕もないですね。大成していないので（笑）、ターニングポイントなんて言えるものはまだ全然ないですね。

――数字には表れていない貢献はたくさんあると思いますが。

大橋　それは別におれの求めていることではないので、なにも思わないですね。

――結果が欲しい。

大橋　はい。なのでターニングポイントはありません（笑）。

茨田　これから。

大橋　どこかで振り返ったときにあればいいかなと。

――結果を出すために今特に取り組んでいることはありますか？

大橋　強くなりたい、うまくなりたい、速くなりたい、と毎日ずっと思っているので、例えば動き出しとかトラップとかドリブルとか、今日はこれをやろう、今週はこれをやろうと、思うことをやっています。

Ohashi

――J1第16節C大阪戦（ホーム、0-2）も守備のところでうまくリズムをつくれなかった印象がありますが、あの試合の後はどうでしたか？

大橋　たぶん話したかなあ。

茨田　うん。

大橋　（ビルドアップのときに）GKを使ってくるチームがあまり得意じゃないからね。

茨田　確かに。

大橋　それは共通しているかなと思う。札幌、セレッソ、鳥栖もそう。GKを使ってつないでくるチームにけっこう苦戦を強いられていると思います。

――それは解決しましたか？

大橋　はい。やるべきことは分かっています。

茨田　そうですね、まとまってはいるので、あとはゲームの中でどうできるかですね。

「ストライカーには その気持ちのままでいてほしい」（茨田）

――チームとして反省を生かして都度改善してきたと思い

――先ほど茨田選手は「すごいものを持っている」と大橋選手を評しましたが、今の話を聞いてどう感じますか？

茨田　前線からのプレスも、キープすることや周りを使うプレーも上手にできているし、でもそこではなく結果が欲しいというのは、FWの気持ちなんだなと思いましたね。僕もそこまで得点を取っている選手ではないのでアドバイスは難しいですけど、ほかのプレーに関してチームへの貢献度は高いので、ほんとにあとは結果だけだと思います。

大橋　子どもなのかなあと思うときはありますけどね。サッカーってチームで成り立つものですけど、やっぱり点を取れないとつまらないんですよね。点を取れたときはめっちゃ楽しいし、それがやりがいでもある。だから自分が点を取れていないと、チームとして良くてもあまり……。川崎に4-0で勝ちましたけど、うれしいけどモヤモヤは残るんですよね。まあ子どものわがままがFWって言いますからね、って割り切りますけど（笑）。

茨田　でもストライカーにはその気持ちのままでいてほしい。自分が点を取らなきゃチームを勝たせられねぇぐらいの気持ちで常にプレーしてもらえれば、自分たちもパスの出しがいがあるし、突き詰めてやってもらえればと思い

Profile

大橋祐紀（おおはしゆうき）

1996年7月27日生まれ、千葉県松戸市出身。180cm、73kg

サッカー歴 常盤平SC ▶柏イーグルス ▶ジェフユナイテッド市原・千葉U-15 ▶千葉県立八千代高校 ▶中央大学 ▶湘南ベルマーレ

※2018年 JFA・Jリーグ特別指定選手（湘南ベルマーレ）

Barada Akimi × Ohashi Yuki

ますね。

――逆にJ1第7節名古屋戦（アウェー、1-2）では、茨田選手のアシストで大橋選手がゴールを決めたものの負けました。あの試合についてはどうですか？

大橋　点を取れたことはうれしいし、だからこそあの試合は余裕を持ってプレーできました。でも勝てないと、2点目を取れなかった前の責任だなと思うし、1点取れても結局そのゴールは意味がなくなってしまうので、それもうれしくないですよね。

「点を取れば疲れない理論ってありますからね」（大橋）

――茨田選手はアシスト数など気にしますか？

茨田　気にしないですね。得点もそんなに気にしないです。自分が気にするのはチームの勝利ですね。

大橋　バラくんは落ち着いてパスをさばいている感じですけど、意外と身体能力が高い。練習中から「隠れ身体」と言われています。

茨田　ハハハ。隠してないけどね。

大橋　湘南のサイドボランチって、裏に抜けなければいけないし、縦にパスも来るし、バラくん追い付けるかなあと思ったら軽く追い付いて相手をかわしてクロスを上げたりしてる（笑）。バラくん隠してるわぁと思う。

茨田　隠してないよ。ポジショニング、ポジショニング（笑）。

大橋　ゴリゴリ行かないから表立たないだけで、要所要所で、「え、速っ」みたいな。

茨田　ああ、身体能力でプレーしているわけじゃないってことか。

大橋　そうそう。それを武器にしてないだけで、でも実は走ったら速いみたいな感じなんです。だから相手は度肝を抜かれるんじゃないですか。

茨田　ハハハ。いや、いろいろ考えてプレーしているから（笑）。

――球際なども強さが増しているのでは？

茨田　湘南に来た当初よりは行けるようになったのかなと思いますけど、チームのレベルに比べたらまだ全然下のほうですよ。もっと行けてる選手はたくさんいるし、練習をやっていてもまだまだだなと強く感じますね。

――ポジショニングは工夫している。

茨田　そうですね。守備は相手がパスを出したいところを予測しながら先手先手でポジションを取っていますし、攻撃も相手の裏をかけばゆっくりでもターンできる。そういうことを意識しながらポジショニングを取っているし、プレーの選択としてはそれが第一にありますね。

――大橋選手から見て、参考になる茨田選手のプレーはありますか？

大橋　ポジショニングもそうだし、ボールを受ける落ち着きとかトラップやパスの正確性はすごいなあと思います。ただ、見習いたいというよりは、バラくんが持てばパスが出てくるというふうにしか考えていなかったですね。それは顔がしっかり上がるからだし、パサーと言われる人は技術もあってすごいなあと思います。

――大橋選手の名古屋戦の得点はセットプレーだったので、ぜひ流れの中で2人がつながって結果をもたらしてほしいですね。

茨田　去年だっけ、鹿島戦（J1第23節）で俺がクロスを上げておーちゃんが決めたのは。

大橋　ああ、去年ありましたね。

茨田　確かにチームとしても流れの中での得点は欲しいですね。勢いがつくし、入るだけで全然違うなと感じます。おーちゃんがさっき話していたように、FWは点を取ると落ち着いてプレーできると思うし、そう感じるとパスの出しがいもありますし、どんどん意欲的にゴールに向かって行ってほしいなと思いますね。

大橋　点を取れば疲れない理論ってありますからね。

茨田　ある。俺もそうだよ。おーちゃんが点を取ったとき、おれも疲れが吹き飛ぶよ（笑）。

大橋　（笑）。それがサッカーですよね。でも点を取られると一気にドバっと来る。

茨田　うん、すごく疲れる（笑）。

――今後もシビれる戦いが続くと思います。どう戦いたいか、どんなプレーを見せたいか、最後に聞かせてください。

大橋　またこの季節が来たなと思いますね。もちろん選手としてもチームとしてもここからが大事なので、楽しみです。見ていて楽しい、思い切ったプレーができたらと思います。

茨田　先のことを考えずに、周りのガヤも気にすることなく、1試合1試合勝ちにこだわってやっていくしかないと思いますね。自分としては、守備と攻撃とチーム全体のつながりの部分で、自分の良さはもちろん周りの選手の良さも引き出して、チームが勝てるようにプレーできればと思います。

RIZAP

Ikeda Masaki
池田昌生×平岡大陽
Hiraoka Taiyo

対談

恩返しできるように

**ベルマーレ2年目のMFによる対談が今回初めて実現した。
前への推進力でチームの攻撃に厚みをもたらす池田昌生。
中盤でのアグレッシブなプレーが持ち味の平岡大陽。
サイドボランチを務める関西出身の二人が現在の心境を明かした。**

取材・文＝大西 徹　Words by Onishi Toru
写真＝兼子愼一郎、野口岳彦　Photogrphy by Kaneko Shin-ichiro, Noguchi Takehiko

「高卒でJ1はうらやましいし、すごいなと思います」（池田）

――今日は対談形式のインタビューです。対談相手を聞いたとき、どう感じましたか？

池田　意外な組み合わせやなと思いました。なんの共通点があんねやろうと。

平岡　なんですかね。関西出身とか？

池田　ポジションも近いから？

――あとはセレッソのU-15から高校サッカー部を経由してプロになっていますね。お二人が最初に話をしたのはいつですか？

平岡　2021年の始動日ですかね。ここの下のラボ（馬入にあるトレーニングルーム）で。僕、覚えてますけど、昌生くんが「履正社やんな？」と言ってくれて。

池田　いや、おれ覚えてないわ。いちばん最初、（練習で）二人組になった覚えがある。

平岡　ああ、なった！

池田　始動日のアップみたいなときに組んで、そこで初めてしゃべった。

平岡　その前に室内でしゃべってます。僕がセレッソ（大阪西U-15）にいたときに、東山高校から福島ユナイテッドに行った人がいることを知ってたんで。僕が（湘南に）入るタイミングでちょうど昌生くんが来ることになって、この人は同じチームになるんやなと思ってました。

池田　おれのこと、じゃあ知ってたんや。

平岡　知ってましたよ。東山をプリンス（高円宮杯JFA U-18サッカープリンスリーグ 関西）に上げた試合も見てましたもん。

池田　おれら京都1部やったんです。おれらの代でプリンスリーグに上げたときに参入戦があったんですけど。

平岡　そこで昌生くんが決めて勝ったんですよ。

池田　おれが決めた（笑）。おれは履正社から湘南というリリースを見て大陽のことを知ってたから、関西の子なんやと思って、高卒やし緊張してるやろうし、なにかしゃべったらいいなと思ってしゃべりかけたと思うんですけど。

平岡　ありがたい。

池田　それやったら町野（修斗）がしゃべりかけなあかんよな、最初に。町野の高校の後輩なんで。

平岡　まあまあまあ。マチくんも話しかけてくれましたけど。昌生くんも最初に会った瞬間に来てくれた。おれから行くべきなんですけど、おれガチガチやったんで。

――緊張していたんですね。

●Kaneko Shin-ichiro

Noguchi Takehiko

27

Ikeda

Profile

池田昌生（いけだまさき）

1999年7月8日生まれ、大阪府大阪市出身。177cm、71kg

サッカー歴 中泉尾JSC ▶ セレッソ大阪U-12 ▶ セレッソ大阪U-15 ▶ 東山高校 ▶ 福島ユナイテッドFC ▶ 湘南ベルマーレ

平岡　ヤバかったです。
池田　高卒でJ1はうらやましいし、すごいなと思いますけどね。高卒・J3と高卒・J1は成長スピードが全く違うんで。もしおれが仮に高卒でJ1に行ってたらと思うと、やっぱりうらやましいですね。そういう選手を見るといいなあと思います。いい経験を積めてると思います。
――そうだったんですね。最初の話に戻りますが、練習で二人組になるときは誰かが組み合わせを指示するんですか？
池田　いや、二人組になって、という指示だけがあったと思います。
平岡　おれも覚えてますね。
池田　ケガ明けやったっけ？
平岡　僕、高校の最後にケガして、選手権（全国高校サッカー選手権大会）にも出てないんです。
池田　足ケガしてるん？　リハビリ？　みたいな話をしましたね。
平岡　しました。それでいうと、昌生くんも今はやんちゃ感が出てますけど、あんときはまだ本性をさらけ出してなかったですね。
池田　ちょっと真面目に行こうと思って（笑）。
平岡　おれはやんちゃ系やと分かってました。あ、猫をかぶってんなって（笑）。
池田　最初はおとなしくしとこう、みたいなのはありましたけどね。髪の毛もちょっと暗めにしてたんで。
平岡　うわー、そうなんや（笑）。
――じゃあ最初は控えめにして。
池田　そうですね。様子を見ながらやってましたね。
――始動の数日後に行われた新体制発表会見の写真をあらためて見ると、池田選手は自然体で、平岡選手はちょっと緊張してる感じがしました。
池田　ハハハ。
平岡　いや、しますよね～。高校のときに取材をしてもらったことはありましたけど、あんな新体制発表みたいにメディアの前に立つのも初めてやし、ガチガチでした。

Masaki

「平和に育ったから おれは真面目なんです」（平岡）

――出身は池田選手が大阪府大阪市、平岡選手は兵庫県宝塚市です。池田選手の地元はミナミも近そうですね。
池田　全部近いですね。
――都会ですか？
池田　都会ですね。地元は京セラドーム（大阪）のあたりなんですけど、天王寺も近いし、梅田も近いし、ミナミに行くのも近いし、めちゃめちゃいいとこですね。
平岡　だからこういう男が仕上がるんでしょうね。そういうところが近いから（笑）。
池田　治安はあまりよろしくはないですね（笑）。
――そうなんですね。
池田　そういうところで育ってきたからこそ、たまに帰ると、やっぱこういう上品じゃないのがいいなと。やっぱりそういうのが好きなんですよね、自分は。
――湘南とは違いますか？
池田　全然違いますよ。雰囲気も違いますし。そういうところが好きですね。
平岡　そういうところで育ったのがそのまま出てません？
池田　どういうとこが？（笑）
平岡　良くも悪くも。僕はうらやましいんですよ。
池田　なにがやねん。
平岡　悪く言ったら……。
池田　なんで悪く言う（笑）。悪く言ったらなんなん？
平岡　まあ「適当」「やんちゃ」なんですけど。
池田　適当か？　おれ。
平岡　なんていうか、「あ、もうええわ」みたいになるんですけど。
池田　ハハハハハ。
平岡　逆に、試合になったときの思い切りの良さって、絶対そこの育ちとか環境がそうさせてる。まあ昌生くんの才能もあると思うんですけど、なんか勢いがあって物怖じせずに行く感じが、大阪出身やからかな、うらやましいなっておれはまじで思ってます。おれの地元は別に汚くもないし都会でもないし、ちょうど真ん中ぐらい。
池田　普通なん？
平岡　普通のとこで、めっちゃ平和で、ヤンキーもおらんし。
池田　フフフ。
平岡　平和に育ったからおれは真面目なんですけど、逆に言ったらこういう昌生くんみたいな、なんて言うんですかね、ガツガツ行く感じのメンタルはないんで。

池田　プレースタイルはおれよりもガツガツやのにな。
平岡　まあね、それは反比例してるんですけど。うらやましいなと思いますね。
――平岡選手の地元と湘南は似てますか？
平岡　ちょっと似てます。
池田　え、こんな感じなん？
平岡　宝塚には田んぼもありますし、のどかな感じは似てますね。
池田　宝塚はめっちゃ上品な住宅街のイメージがあるけど。
平岡　それは駅前だけです。
――池田選手はセレッソ大阪U-12、U-15出身。平岡選手はセレッソ大阪西U-15出身ということで、「西」なんですよね。
平岡　チームは別ですね。
池田　3種類あるんですよ。大阪は「本家」と言うんですけど。
平岡　いわゆる一番強いところですね。最近は西が強かったりするんですけど。
池田　年代によって違うんですけど、基本的には本家がいちばん強いと言われてて、西があって、和歌山もあって。
池田　大陽のときは西が強かった？
平岡　いや同じぐらいでしたね、ちょっと大阪が強いかなぐらい。
池田　おれんときはダントツでおれらが強かった。
平岡　最近は西らしいですよ。おれの下ぐらいから。
――練習する場所は？
池田　場所は違うんで、なんとなく地域によって近いほうに行かされるというか。セレクションがあってどこどこに住んでるからこっちで、みたいな感じやったと思います。
平岡　西は平日に尼崎（兵庫県）で練習してました。
――大阪ではないんですね。
池田　懐かしいな、ヤンマー。
平岡　そう、ヤンマーフィールド（尼崎）でやるんで。
池田　線路の横にあるよな。
平岡　ヤンマーの会社がばーっとあって、グラウンドも体育館もあって、そこに通ってましたね。兵庫県出身の選手は西に行きがちですね。休日になったら舞洲（大阪市此花区）にも行って。
池田　おれセレッソのスクールも入ってましたけど、ヤンマーで練習してましたね。あとは南津守（大阪市西成区）でもやってましたし。
平岡　あと新大阪（大阪市淀川区）でもやってました。
池田　中学のときは基本的に舞洲の人工芝でやってましたね。
平岡　そこも土日は使ってましたよ。
――やっぱりお互いの共通点は多いですね。
池田　確かにありますね、意外と。

「おれ去年はめっちゃポジションやってるからね」（池田）

――昨年ベルマーレに加入して、お二人が初めて一緒に出た試合が、その年のルヴァンカップ第1節浦和戦でした（ホーム、0-0）
池田　湘南デビュー戦や。大陽はプロデビュー戦やな？
平岡　そうです。
――この試合でどんな手応えをつかみましたか？
池田　おれはセンターバックをやってるんで。
平岡　覚えてる。
池田　いや、ここで……みたいに思ってましたけど、キャンプとか練習試合でもずっとそのポジションで出てたから、まあそこで試合に出るんやろなという感覚はありましたけど。
平岡　今やったら考えられないですよね、昌生くんが後ろって。当時はやれてたから。
池田　ガチガチのセンターバックっていう感じじゃないから、攻撃のところでリズムをつくれるし、自分のところで起点になれるから、やってて楽しいなって思いながらプレーしてましたけどね。（公式記録を見ながら）レッズのメンバーを今見たらすごい選手が出てる。
平岡　確かに。
池田　その相手にデビュー戦でそのポジションで手応えはけっこうありましたけど。
平岡　おれは、まあ。
池田　緊張してたな、たぶん。
平岡　緊張してたし、なんもできてないんで。全く手応えもなく。
池田　どこで出た？　インサイドハーフ？
平岡　インサイドハーフで出て、初めての試合だったんで、

Hiraoka

Profile

平岡大陽（ひらおかたいよう）

2002年9月14日生まれ、兵庫県宝塚市出身。173cm、68kg

サッカー歴 長尾ウオーズFC › セレッソ大阪西U-15 › 履正社高校 › 湘南ベルマーレ

Taiyo 28

いつも画面越しで見てた世界に自分がいて、ナイターで、なんか夢の中にいるみたいな感覚やったなというのを家族に話したのを覚えてますね。ただ、なんもできなさすぎて、最後のあいさつも半泣きで回って。

池田　ハハハ。でもさ、これがデビュー戦やけどさ、練習試合でJ1のチームとやってないっけ？

平岡　ガンバと沖縄でやったけど、全然雰囲気が違うし。

池田　ましてやレッズには槙野（智章）選手もいるし、武藤（雄樹）選手もいるし、今もバリバリ出てる大久保（智明）選手もいるし。

平岡　そうなんですよ。『やべっち』で見てた人が近くにいたから。

池田　いや、おれもそんな感じよ。おれもJ3から来たから。

――J1のチームでJ1のチームと対戦するのが初めてだった。

池田　一発目でしたね。おれはワクワクしてましたね。よっしゃーみたいな。うずうずしてましたね。

平岡　（小声で）そこなんよな〜。

池田　ハハハ。

平岡　そこがすごいんよ。やっぱ。育ち出てるわ（笑）。

池田　緊張はしないですね。

Noguchi Takehiko

平岡　そこ！

池田　大陽は緊張してるって言うけど、実際は全然そんな感じじゃないですからね。意外と堂々としてるというか。

平岡　そうですか？

池田　そんなに緊張してるふうには見えないですけどね。ひょうひょうとしているというか。

平岡　ちょっとうれしい。

池田　客観的に見てどしっと構えてるとおれは思うけど。

――2021年ルヴァンカップ第3節柏戦でお二人がそろってスタメンに入りました（アウェー、1-1）。

池田　アウェーか。

平岡　最後コバくん（古林将太）のゴールで追い付いた試合か。

池田　めっちゃキツかった覚えしかない。たぶんこのへんの試合でおれがもともと後ろの選手じゃないことが相手にバレてて、ロングボールが全部おれのとこに来るんですよ。後ろで競り合いとかやったことないし、絶対におれんとこ狙われてるわと思いながらプレーしてたのをめっちゃ覚えてます（笑）。

平岡　確かにそうやったかもしれん（笑）。この試合はおれ、悪くなかったんですよ。この前のホームの試合で10分ぐらい出て、意外に何回かボールを触れて、この試合でスタメンで使ってくれたんで、案外試合にも入れたんで。

池田　確かに普通にやってた気がするな。

平岡　悪くはなかったかなと思います。

――ポジションはインサイドハーフですよね。

池田　左？　右？

平岡　左ですね。

――平岡選手は池田選手と違ってポジションがずっと同じですね。

池田　確かにずっと一緒や。

平岡　変わったことないですね。たぶんほかがあんまりできないからですね。バックとか絶対にできないし。

池田　おれ去年はめっちゃポジションやってるからね。後ろの右やって、ウイングバックの右と左、インサイドハーフの右と左、練習試合で左のセンターバックもやって。唯一やってないのがど真ん中（アンカー）とFWもやってない気がする。

平岡　でもやろうと思ったらできそうやん。

池田　アンカーもできんかな。

平岡　FWもいけそう。

――そこはお二人の違いですね。

平岡　プロのレベルでそこまでいろんなポジションができるのはすごいですよね。

「オンとオフの切り替えがうまいなと思います」（平岡）

――お互いのプレーの特徴も客観的に解説していただきたく、平岡選手から見て池田選手の「ここがすごい」っていうところは？

平岡　まず、結果を残すじゃないですか。シュートを決めるじゃないですか。今年は特に結果で黙らせるんで。そしたらこっちはなんも言えないじゃないですか。というのと、やっぱり攻撃ですね。攻撃で違いを見せられるところと、アベレージも高いんで、しっかり肝も座ってて、堂々とやってる感じがある。ドリブルとかトラップがめちゃくちゃうまいわけではないのに、たぶん（周りの状況を）見てるのか、立ち位置がいいのか、（ボールを）失う回数が少なくて、攻撃のリズムをつくれて、点も決める。普通にうまい。

池田　ありがとうございます。今日の夜めしはうまく食えそうです（笑）。

平岡　褒めて伸びるタイプ（笑）。

池田　あたりまえやん、褒められてなんぼ（笑）。

平岡　それは間違いない。褒められたらうれしい（笑）。

――プロになってこうやって誰かから褒められることはありますか？

池田　プロ1年目、2年目のときは、やっぱりベテランの選手に褒められたらうれしかったです。それは今でも変わんないですけどね。「おまえ、いいから続けろ」みたいに言われるとうれしいです。

平岡　それは本音ですよね。

池田　おれもそうやって言われたからこそ、若い選手にはちゃんとほんまのことを思って言ったほうがいいなと思ってるんで。

――平岡選手のプレーについて池田選手が日々感じていることは？

池田　おれが持ってないものを持ってるんで。さっき攻撃って言ってくれて、大陽ももちろん攻撃には特別なものを持ってますけど、おれから見たら守備のところでボールを取るというか、粘り強いんですよ。どこまでも足が伸びてくるし、それもマイボールにすんの？みたいな。そこはおれにはないもんやから、スペシャルな部分やなと思いますけどね。ボールを取ってから前に出ていくところとか、逆に前に出ていく強度で後ろにも戻ってプレスバックができるので、それはすごいなと思います。しかも高卒でそれをできてるのがすごい。おれが1年目、2年目のときは全然やったから。ボールを奪うという部分に関しては素晴らしいですね。シンプルに体をぶつけて取るとかではないんですよ。（田中）聡とはボールの取り方がちょっと違う。

平岡　あいつはバーンって行って跳ね飛ばすけど、おれは足が柔らかいから巻き取る感じで行くんで。

池田　ほんま、ねちゃねちゃ、ねちゃねちゃ（笑）。

平岡　ハハハハハ。

池田　体もシンプルに強いですけどね。下半身もごついし。

――ごつくなりましたよね。

池田　なった？

平岡　なったかもしれないです。久しぶりに会った人からよく「ごつなったなあ」って言われますね。自覚はないですけど、高3のときと今やったら、写真を見比べてみたら全然違いますね。

池田　ケツとか太ももとかすごいですよ。おれよりもでかいです。

Kaneko Shin-ichiro

――練習で対峙するとそういうごつさを感じますか？

池田　今日もボール取られたもん。

平岡　でもこっちは逆にうらやましいですけどね。おれは1対1になったら取れるというのはあるんですけど、逆に今は攻撃で課題を持ってるから。こういうのって、ないものねだりなんですかね。

池田　そうやろ。完璧な選手はおらんから。だからおれは、どんだけでかい五角形にできるかといつも言ってるんです。「自分の強みはなんですか？」って小さい頃から聞かれるやん。おれは特別身長がでかいわけじゃないし、めちゃめちゃ走りが速いわけじゃないし、めちゃめちゃドリブルがうまいわけでもないし、スペシャルな部分がなかったから。だからこそ全部平均点以上にアベレージを高くしようという努力は今までしてきたつもりやったから。それがいろんなポジションができるところにつながってるのかな、というのは自分自身を分析したときに思いますけどね。だから今でも自分にスペシャルの部分はないです。ただ、ある程度アベレージはあると思ってるんで。そこですかね。

平岡　おれの守備はどう思われてるんやろう？と思ってて。

池田　(笑)
平岡　ボールを奪えると言ってくれたのが本音なんやったら、やっぱそこは自信を持っていいんかな？
池田　自分でそこは強みやと思ってないということ？
平岡　いや、プロの舞台でそんなにできてるんかな？というのが。
池田　ちゃんと自信を持っていいと思う。
平岡　そう言ってくれたらうれしい。攻撃を伸ばしていくことはもちろん絶対なんですけど、自分のストロングを忘れたらあかんなというか、そこをベースに攻撃のアベレージをだんだん上げていって、守備では絶対に負けたらあかんなと思いました。
池田　だってさ、調子悪かったら一回そこに戻ればさ。
平岡　え、じゃあ、どこっすか？　戻るとこは。
池田　え、おれ？　調子悪かったら？　一回遊ぶかな。おれは一回サッカーを忘れる。
平岡　あ、そういうこと？　試合中のことじゃなくて(笑)。
池田　あ、試合中？　大陽はヤバいヤバいってなる？
平岡　そうなるから、最近思ってるのは、そういうときに、一発守備でガツンって奪い取ったらまたリズムができるんじゃないかなって。

Kaneko Shin-ichiro

池田　確かに。なんやろな、そう考えたことがない。
平岡　昌生くんが覚えてるか分かんないですけど、「調子が悪いときにテンパるんですか？」って質問したら、「自分にムカつく」とか言い出して。
池田　(笑)
平岡　おれは、ヤバいどうしようって思うけど、昌生くんは「自分にムカつくから周りとかはどうでもええ」とか。いや、育ち出すぎやろって(笑)。
池田　なんでこんなんもできひんねんって思う。
平岡　それで萎縮することはあまりないじゃないですか。
池田　そうなったときに、今までの準備が悪かったんちゃうかな？って考える。
――準備というのは日々の練習のことですか？
池田　練習とか、日頃のサッカーへの向き合い方とか。
平岡　そりゃそうや。で、最近調子悪いなというときは、一回遊ぶんですか？
池田　一回サッカーを忘れるか、遊ぶって言っても一回リフレッシュするとか。おれはオフシーズンは絶対サッカーせえへんもんな。絶対忘れる。
――2週間ぐらいですか？
池田　いや、全部です。
平岡　え!?
池田　シーズンオフって1カ月ぐらいあるじゃないですか。絶対サッカーのことを忘れます。自主練はしますけど、サッカーはいっさい見いひんし。
平岡　おれは休もうと思っても最後のほうになってきたら焦ってきて自分を追い込んでますね。
池田　だって約10カ月間サッカーと必死に向き合ってきたんやから、1カ月ぐらいなんも考えんと遊ばせてくれよと思いますけどね(笑)。
平岡　確かにそれはそう。
――そこで一回リセットする。
池田　そうです。もう一回頑張れないんで。オンとオフはいちばん大事にしてるんで。
平岡　昌生くん、うまいと思います。いろんなとこに行ったりしてるし、いろんな趣味もあると思うし、服もおしゃれやし。切り替えうまいなと思います。
――平岡選手は切り替えはあまり。
池田　サッカー、サッカー、サッカーですよ。
平岡　おれはダラダラやってるからだめなんですよね。でも昌生くんは「今日はもうやらん！」って決めたら練習も一瞬で上がるんで。おれはそう決めてても「あれミスったから練習しとこ」とか言って結局ちょっと疲労が蓄積してるけど、昌生くんは「え、もう池田さんおらんやん」って。やる日はやりますけどね。
池田　でもおれ、筋トレしてるからね。
平岡　あ、そうですね。でも、自分を持ってる感じ。例えばおれやったら、あの人もうちょっとやってんな、おれももうちょっとやらなあかんのかな、とかそういう余計なことを考えちゃうけど、昌生くんは自分が終わったと思ったら上がるし、自主練でも筋トレでもたぶんやることを最初から決めてるんでしょうね。
池田　うん。
平岡　終わったらパッとシャワー浴びて颯爽と帰るんで、オンとオフの切り替えがうまいなと思いますね。
池田　確かに人に左右されない。
――それは昔から？
池田　けっこう昔からですね。周りに流されへんとことか、あとは、なんていうんやろ、あんまりこう。
平岡　気にしてないでしょ。
池田　あんまり群れないというか、上の人に対してこう、いい意味でも悪い意味でもペコペコしないというか、そういう感じはあるかもしれないです。それがいいのか悪いのかは分からないですけどね。

「自分のプレーとしてはなかなか良かった」(池田)

――今年3月、ルヴァンカップ第2節磐田戦でお二人がスタメンで出て、池田選手が点を決めています(アウェー 1-0)。この試合でつかんだ手応えは？
池田　この試合は背水の陣と思うぐらいの覚悟でやってたんで、結果を出せてホッとしたというのが手応えとしていちばん大きかったですね。
平岡　おれはこの試合、クズでしたね。
池田　うそやん。そんな感じやったん？(笑)
平岡　ちょっとドリブルして昌生くんに預けたら豪快なミドルシュートを決めてくれた。
池田　そう、大陽からパスをもらって。
平岡　昌生くんに「ありがとう」と言いに行きました(笑)。
池田　そんな感じやった？　全然そんな感じやなかったけど。
平岡　だからそういうところで結果を残すじゃないですか。背水の陣って言ってたけど。そこで奮い立つのが、おれは何回もさっきから言ってますけど、ほんますごいなあと思いますね。ピンチをチャンスに変える力、ここ一番で決める力を持ってるんでしょうね。それは実力やと思います。
池田　(笑)
――今年は二人とも中盤でプレーしています。選手の皆さんはインサイドハーフ、もしくはサイドボランチという言葉を使っていますよね。
池田　何が正解なん？　サイドボランチか？
平岡　どっちも正解じゃないですか？
池田　(山口)智さんはサイドボランチって言うか。あれ？
平岡　サイドボランチって言いますね。
池田　おれはインサイドハーフって言っちゃう。何が正解か分かんないですけど。
平岡　おれはサイドボランチって言いますね。
――サイドボランチという言葉を使うときは、まずは守備から、みたいな意識があるときに使うのでしょうか。
池田　いや……。
平岡　特に理由はないですね。

Kaneko Shin-ichiro

池田　一緒です。でも正解はたぶんサイドボランチなんやろな。
平岡　どうなんですかね。でもインサイドハーフとも言えるじゃないですか。
池田　うん。分かんないです(笑)。
――今年7月、J1第21節広島戦でお二人ともサイドボランチでスタメンで出て、池田選手はこの試合でもゴールを決めていますね(アウェー、1-1)。
平岡　(小声で)決めるやん。
池田　(笑)。この試合はけっこう自分の中で完璧に近いプレーができたなと思ってて。
平岡　ふ～ん。
池田　守備でもけっこう貢献できたし、点も取れたし、チームは勝てなかったのは悔しかったけど、自分のプレーとしてはなかなか良かったんじゃないかなと思いますけど。
平岡　おれは確か試合後に言われたんですけど、J1でのスタメンが3月以来だったんですよ。ケガして、明けて、あんまりスタメンで出てなくて。この試合はアップのときに、今日も緊張してるわ～と思ってました。
池田　(笑)
平岡　守備から行こうと思って、守備にガツガツいつもど

Ikeda Masaki × Hiraoka Taiyo

おり行ったのを覚えていますけど。
池田　悪くなかったんじゃない？
平岡　悪くはないけど、あのパフォーマンスでずっと出れるかと言われたらまだまだやなと思った部分があるんで、やっぱり目に見える結果を残さなあかんなと思って。まだ今年1点も取れてないから。
池田　去年2点か？
平岡　去年はリーグ、ルヴァン、天皇杯、1点ずつ取った。だからまだまだやなと今シーズンはずっと思ってます。
――その次の試合、J1第22節福岡戦でもそろってサイドボランチでお二人がスタメンで出場しました（ホーム、0-0）。
平岡　どうでした？
池田　いやこれはなんとも言えない。このへんからちょっと、自分もチームとしてもうまく機能してないなという違和感みたいなのを感じてて、アビスパのときはしょうがないなと割り切ってた部分ともやもやして終わった記憶がありますね。
平岡　確かに、相手はやることが明確で、FWにシンプルに当ててくるというところで、なかなか手こずって。
池田　難しかったですね。
平岡　難しかったなあ。
池田　このへんからチームとしても良くない試合が続いた気がしますね。

「おれはスイッチを入れるのが得意」（平岡）

――J1第24札幌戦で悔しい敗戦があり（ホーム、1-5）、第26節鹿島戦で引き分けて（ホーム、1-1）、選手もファン・サポーターも気持ちの浮き沈みが激しかったと思います。この2試合でどんなことを感じましたか？
平岡　そうですよね。札幌戦は上で見てたんですけど。
池田　おれは逆ですね。鹿島戦は上で見てたんで。
平岡　ほんまや。札幌戦は全部やられてんなとか、こっちが悪いというか普通に相手のクオリティーが高かったし、こっちが準備してきたことが全くハマってなくて、難しそうやなと思って、点もめっちゃ取られてたから。どうでした？　やってて。
池田　いや、おれは、自分のプレーもそうやし、準備してきたものが出せてないというもどかしさをやりながら感じてて。札幌は同じ勝点で、絶対に勝たなあかん試合で、あんだけお客さんが来てくれた中でああいうゲームをしたことに対して、すごい責任を感じましたね。
――その次が鹿島戦でした。
池田　自分たちを取り戻した感はありましたよね。
平岡　僕は前半ベンチでしたけど、入りは良くて。
池田　見ててシンプルに面白かったし。
平岡　あそこで勝ち切るチームがどんどん上に行くんですかね。追い付いて、最後にもう1点取れるチームが。僕も出て点を取れなかったんで、そういう試合を決め切る力は大事なんかなと思います。
――馬入で準備してきたことを次の試合で出すことが大事なんですね。
池田　練習でやったことしか試合で出えへんし、そこは大事ですよね。
平岡　おれら、いいときは前からハマってますもんね。だから相手が変わってこっちのハメ方が変わるかもしれんけど、勝ってた時期の僕らは前線からしっかり守備に行けてショートカウンターとかで決めてたんで。僕はあんまり出てなかったですけど、見ててそう思ったんで、やっぱりそういうのが湘南らしさです。
池田　前からむりやり行くんじゃなくて、しっかりみんながつながった中での連動した守備ができてるときはやっぱり“らしさ”が出るし、この間の鹿島戦もそうやけど、上から見ててもやっぱり躍動感があると感じました。
――サイドボランチを任されてさまざまな役割を担う中でいちばん大変なところは？
池田　けっこうあるんですよ。前に出ていくスイッチの強度とか、追い込み方とか。横にスライドして絞らないといけないし、あとは相手がアビスパみたいに蹴ってくるチームやったらプレスバックもしないといけないし。けっこうやること多いよな？
平岡　昌生くんが今、スイッチが大変と言ってたけど、おれはスイッチを入れるのが得意やから、そこは全然いいんですけど、逆にビルドアップでボールを引き取るときみたいに、ボールを持ったときのほうが課題を感じてるから、やっぱり逆やなと思います。
――さまざまな役割を担っているんですね。
平岡　どのポジションもそうなんでしょうけど。
池田　けっこう役割が多いし、難しいですね。
――いつも応援してくれるファン・サポーターの存在は日頃どのように感じていますか？
池田　この間、それこそ鹿島戦でメンバーに入らんかったときに、SNSでメッセージをけっこうもらって、そんときにあらためて、こういう方たちのためにもう一回踏ん張らなあかんなと自分自身思いました。本当に支えられてますし、助けられてますね。スタジアムの雰囲気をつくってくださっているのとは別に、僕は最近そういうところで支えられてるなとあらためて感じましたね。いやあ、うれしかったです。
平岡　スタジアムで最初にあいさつするときも雰囲気がすごくいいじゃないですか。だからやっぱりやらなあかんなといつも思わされますね。僕らがサッカーをやれてるのは、ファン・サポーターの皆さんがいつも応援してくださっているから。その期待に応えられるよう、これからもっと頑張りたいです。
池田　いつも一体感を持って応援してくれているのはピッチで感じてますし、そういう応援に対してやっぱり自分たちは結果で応えなきゃいけないというのは常日頃から思っています。まだまだ勝ち続けていかないといけないですし、そのためには日頃の積み重ねが大事です。今は支えられてばかりなので、自分たちが結果で恩返しできるように、まだまだ頑張りたいです。

For the

チームのために

今シーズンのスローガンは「Believe」～新湘南へ～。
自らと仲間の可能性を信じることが次の勝利へとつながっていく。
ファン・サポーターから寄せられる大きな期待に応えるために
奮闘を続ける注目選手の姿を写真で振り返る。

取材・文=隈元大吾　Words by Kumamoto Daigo
写真=兼子愼一郎、野口岳彦、木村善仁(8PHOTO), 梅月智史、大西 徹
Photography by Kaneko Shin-ichiro, Noguchi Takehiko, Kimura Yoshihito(8PHOTO), Umezuki Satoshi, Onishi Toru

Noguchi Takehiko

team

Kaneko Shin-ichiro

Tani Kosei

谷晃生

2000年11月22日生まれ、大阪府堺市出身。190cm、87kg

サッカー歴 TSK泉北SC ▶ ガンバ大阪ジュニアユース ▶ ガンバ大阪ユース ▶ ガンバ大阪 ▶ 湘南ベルマーレ
※2016年、2017年ガンバ大阪2種登録
※2018年ガンバ大阪プロ契約（高校3年時）

Kaneko Shin-ichiro

Onishi Toru

「結果が出ないことは悔しいですが、積み重ねているところなので、僕自身としてもチームとしても、今は成長できるチャンスと捉えてやっていきたい」

J1第10節札幌戦、試合後の囲み取材で

Kaneko Shin-ichiro

Ishihara Hirokazu

石原広教

1999年2月26日生まれ、神奈川県藤沢市出身。169cm、65kg

サッカー歴 藤沢FC ▶湘南ベルマーレジュニア ▶湘南ベルマーレU-15平塚 ▶湘南ベルマーレユース ▶湘南ベルマーレ ▶アビスパ福岡 ▶湘南ベルマーレ
※2016年湘南ベルマーレ2種登録

「相手が自分たちを研究してきている。逆に言えばそれは、自分たちのやってきたことを相手が怖いと思っているということ。いくら対策されても自分たちがやるべきことをブレずにしっかりやり続けることが大事」

8月5日、オンラインによる囲み取材で

Kaneko Shin-ichiro

日本端子
たのしめてるか。
3
RIPTY

MELDIA
13

13

Segawa Yusuke

瀬川祐輔

Kaneko Shin-ichiro

1994年2月7日生まれ、東京都出身。170cm、67kg

サッカー歴 雪谷FC ▶日本大学第二中学校 ▶日本大学第二高校 ▶明治大学 ▶ザスパクサツ群馬 ▶大宮アルディージャ ▶柏レイソル ▶湘南ベルマーレ

Kaneko Shin-ichiro

「攻撃している時間や回数は増えてきている。間違いなく良くはなっているので、それをどれだけチャンスに持っていけるか、どれだけこだわれるか」

6月14日、J1第17節 FC東京戦を前に

22

Oiwa Kazuki

大岩一貴

Kaneko Shin-ichiro

1989年8月17日生まれ、愛知県名古屋市出身。183cm、78kg

サッカー歴 熱田少年SC ▶名古屋FC ▶名古屋FCジュニアユース ▶中京大学附属中京高校 ▶中央大学 ▶ジェフユナイテッド市原・千葉 ▶ベガルタ仙台 ▶湘南ベルマーレ

Kaneko Shin-ichiro

「J2の試合も入っていますし、智さん（山口監督）とか古賀さん（正紘コーチ）とか身近な人がJ1で何百試合と出ているので、正直うれしいとも通過点とも思わないですね」

5月23日、練習後の囲み取材で、J1第10節札幌戦でJ通算300試合出場を達成したことについて問われ

Kaneko Shin-ichiro

Kaneko Shin-ichiro

「(リーグ戦で)結果を残し続けるしかないと思っている。マークは厳しくなると思いますが、それを楽しんで、結果と内容も変わったねと思われるようにしたい」

8月2日、練習後の囲み取材で、日本代表のヨーロッパ遠征への思いを問われ

18

Machino Shuto

町野修斗

1999年9月30日生まれ、三重県伊賀市出身。185cm、77kg

サッカー歴 FC中瀬SS ▶ FCアヴェニーダソル ▶ 履正社高校 ▶ 横浜F・マリノス ▶ ギラヴァンツ北九州 ▶ 湘南ベルマーレ

Kaneko Shin-ichiro

Ohno Kazunari

大野和成

1989年8月4日生まれ、新潟県上越市出身。180cm、75kg

サッカー歴 FC高志 ▶上越市立春日中学校 ▶アルビレックス新潟ユース ▶アルビレックス新潟 ▶愛媛FC ▶湘南ベルマーレ ▶アルビレックス新潟 ▶湘南ベルマーレ

Kaneko Shin-ichiro

Noguchi Takehiko

「チームとしては大変だけど、ポジティブに考えれば、残っている選手にとっては自分の存在を示せるチャンス。起きたことは仕方ないので、いる選手で勝ちたい」

3月30日、トップチーム選手8人が新型コロナウイルス感染症の陽性判定を受けたことについて問われ

日本端子
FUJITA

「自分にできることを最大限やって、自分がどんなに苦しい状況でも声を切らさずに引っ張ることを意識したい」

5月23日、第16節 C 大阪戦を前に

Yonemoto Takuji

米本拓司

1990年12月3日生まれ、兵庫県伊丹市出身。177cm、71kg

サッカー歴 瑞穂SC ▶伊丹FC ▶兵庫県立伊丹高校 ▶FC東京 ▶名古屋グランパス ▶湘南ベルマーレ

「1対1に持ち込まれても止められるだろうと自信を持って守備に臨めている。（離脱中）個人としてもうひとつ成長するために一から体づくりに取り組み、体重も筋肉量も増えて、対人やスプリントでパワーが出るようになりました」

5月27日、オンラインによる囲み取材で

26

Hata Taiga

畑 大雅

2002年1月20日生まれ、東京都西多摩郡出身。175cm、70kg

サッカー歴 松林少年SC▶AZ86東京青梅ジュニア▶AZ86東京青梅▶船橋市立船橋高校▶湘南ベルマーレ

Kaneko Shin-ichiro

Kaneko Shin-ichiro

16

山本脩斗

1985年6月1日生まれ、岩手県盛岡市出身。180cm、69kg

サッカー歴 上田スポーツ少年団 ▶盛岡市立北松園中学校 ▶岩手県立盛岡商業高校 ▶早稲田大学 ▶ジュビロ磐田 ▶鹿島アントラーズ ▶湘南ベルマーレ

Kaneko Shin-ichiro

Kaneko Shin-ichiro

「自分が決めたことより、チームとしてまず1勝したかった。まだまだ順位も下で、自分たちが目指しているところはもっともっと上なので、切り替えてやっていきたい」

J1第9節 G大阪戦、試合後の囲み取材で、決勝ゴールを決めたことについて問われ

Kaneko Shin-ichiro

Onishi Toru

「今は純粋にサッカーが楽しい。うまくいかないことも楽しく感じるし、それがまた自分を成長させてくれる。一喜一憂しない気持ちでやっています」

7月21日、練習後の囲み取材で

42

Takahashi Ryo

高橋 諒

Kaneko Shin-ichiro

1993年7月16日生まれ、群馬県高崎市出身。171cm、68kg

サッカー歴 東部小SC ▶雲仙市立国見中学校 ▶長崎県立国見高校 ▶明治大学 ▶名古屋グランパス ▶湘南ベルマーレ ▶松本山雅FC ▶湘南ベルマーレ
※2015年JFA・Jリーグ特別指定選手（名古屋グランパス）

Kaneko Shin-ichiro

「ちょっとしたプレーでも、『ナイス』『大丈夫』『できてるよ』と、常にポジティブな声を掛け続けようと思っていた。それが自分がいちばんチームに貢献できること。みんなをうまく乗せられたらと思っていました」

復帰戦となったJ1第26節鹿島戦、試合後の囲み取材で

6

Okamoto Takuya

岡本拓也

1992年6月18日生まれ、埼玉県さいたま市出身。175cm、73kg

サッカー歴 道祖土サッカー少年団 ▶浦和レッズジュニアユース ▶浦和レッズユース ▶浦和レッズ ▶V・ファーレン長崎 ▶浦和レッズ ▶湘南ベルマーレ
※2010年浦和レッズ2種登録

49

Abe Hiroyuki

阿部浩之

Kaneko Shin-ichiro

1989年7月5日生まれ、奈良県北葛城郡出身。170cm、67kg

サッカー歴 エントラーダSC ▶高田FC U15 ▶大阪桐蔭高校 ▶関西学院大学 ▶ガンバ大阪 ▶川崎フロンターレ ▶名古屋グランパス ▶湘南ベルマーレ

Noguchi Takehiko

「サイドから崩すことも、中央から崩すことも、セットプレーも全部が課題だと思うし、それはたぶんどこのチームも感じている永遠の課題。自信を持ってやることが大切ですし、そのためにしっかり練習することが大事」

8月18日、練習後の囲み取材で、攻撃の課題について問われ

Kaneko Shin-ichiro

RIZAP

日本端子

Kaneko Shin-ichiro

「僕はずっとボールに触りたいタイプ。取られない自信があるからどんどん預けてほしいし、ドリブルはもちろん、ほかのプレーでも違いを出していきたい。いい意味で期待を裏切っていきたい」

8月2日、オンラインによるインタビューで

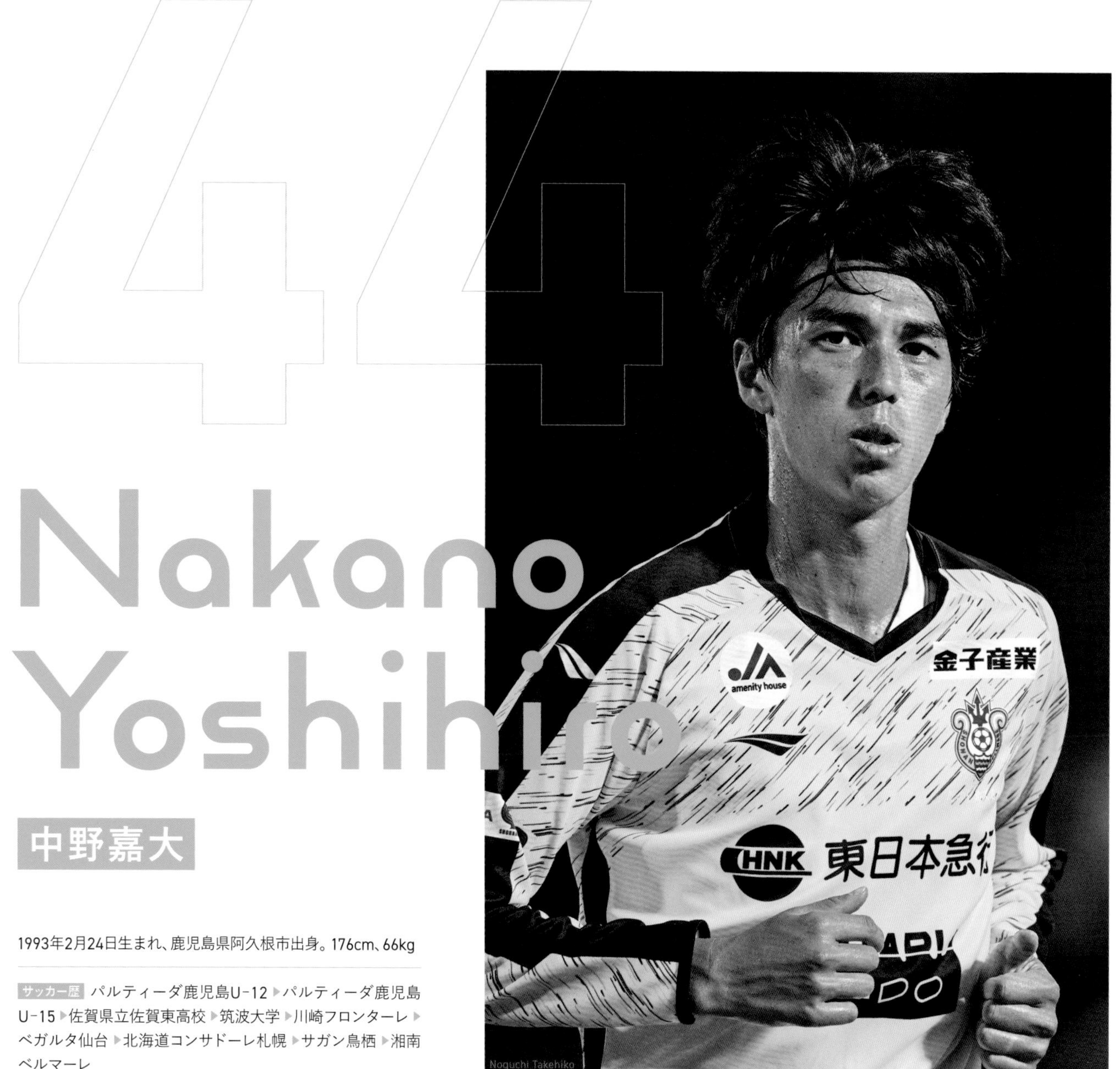

Noguchi Takehiko

Nakano Yoshihiro

中野嘉大

1993年2月24日生まれ、鹿児島県阿久根市出身。176cm、66kg

サッカー歴 パルティーダ鹿児島U-12 ▶パルティーダ鹿児島U-15 ▶佐賀県立佐賀東高校 ▶筑波大学 ▶川崎フロンターレ ▶ベガルタ仙台 ▶北海道コンサドーレ札幌 ▶サガン鳥栖 ▶湘南ベルマーレ

Noguchi Takehiko

Onishi Toru

11

Tarik Elyounoussi

タリク

Noguchi Takehiko

1988年2月23日生まれ、モロッコ／ノルウェー出身。172cm、66kg

サッカー歴 フレドリクスタ（ノルウェー）▶ヘーレンフェーン（オランダ）▶リールストロム（ノルウェー）▶フレドリクスタ ▶ローゼンボリ（ノルウェー）▶ホッフェンハイム（ドイツ）▶オリンピアコス（ギリシャ）▶カラバフ（アゼルバイジャン）▶AIKソルナ（スウェーデン）▶湘南ベルマーレ

10

Yamada Naoki

山田直輝

Umezuki Satoshi

1990年7月4日生まれ、埼玉県さいたま市出身。168cm、66kg

サッカー歴 北浦和サッカースポーツ少年団 ▶ 浦和レッズジュニアユース ▶ 浦和レッズユース ▶ 浦和レッズ ▶ 湘南ベルマーレ ▶ 浦和レッズ ▶ 湘南ベルマーレ
※2008年浦和レッズ2種登録

Umezuki Satoshi

Umezuki Satoshi

9

Wellington Luis De Sousa

ウェリントン

1988年2月11日生まれ、ブラジル出身。186cm、89kg

サッカー歴 インテルナシオナル ▶サンカエターノ ▶ナウチコ（以上ブラジル）▶ホッフェンハイム（ドイツ）▶FCトゥエンテ（オランダ）▶フォルトゥナ・デュッセルドルフ（ドイツ）▶フィゲレンセ ▶ゴイアス ▶ペロタス（以上ブラジル）▶湘南ベルマーレ ▶ポンチ・プレッタ（ブラジル）▶アビスパ福岡 ▶ヴィッセル神戸 ▶ボタフォゴSP（ブラジル）▶湘南ベルマーレ

Umezuki Satoshi

Kobayashi Shota

古林将太

1991年5月11日生まれ、神奈川県南足柄市出身。173cm、70kg

サッカー歴 湘南ベルマーレジュニア ▶湘南ベルマーレジュニアユース ▶湘南ベルマーレユース ▶湘南ベルマーレ ▶ザスパ草津 ▶湘南ベルマーレ ▶名古屋グランパス ▶ベガルタ仙台 ▶湘南ベルマーレ

※2009年湘南ベルマーレ2種登録

Umezuki Satoshi

Umezuki Satoshi

24

Kaneko Shin-ichiro

Fukushima Hayato

福島隼斗

2000年4月26日生まれ、熊本県宇城市出身。178cm、75kg

サッカー歴 COSMOS ▶豊川FC ▶宇城市立松橋中学校 ▶熊本県立大津高校 ▶湘南ベルマーレ ▶福島ユナイテッドFC ▶湘南ベルマーレ

Onishi Toru

Kaneko Shin-ichiro

21

Mawatari Hiroki

馬渡洋樹

1994年8月16日生まれ、福岡県福岡市出身。187cm、78kg

サッカー歴 福翔トナカイFC U-15 ▶東福岡高校 ▶鹿屋体育大学 ▶愛媛FC ▶川崎フロンターレ ▶ファジアーノ岡山 ▶湘南ベルマーレ

湘南から新天地へ

ベルマーレは7月7日、永木亮太が名古屋グランパスに期限付き移籍すると発表した。8月22日には田中聡のベルギー1部KVコルトレイクへの期限付き移籍で合意したことを明らかにした。

Nagaki Ryota

永木亮太

1988年6月4日生まれ、神奈川県横浜市出身。175cm、67kg

サッカー歴 ヴェルディジュニア ▶FC奈良 ▶川崎フロンターレU-15 ▶川崎フロンターレU-18 ▶中央大学 ▶湘南ベルマーレ ▶鹿島アントラーズ ▶湘南ベルマーレ ▶名古屋グランパス
※2010年JFA・Jリーグ特別指定選手（湘南ベルマーレ）

Onishi Toru

Onishi Toru

Tanaka Satoshi

田中 聡

2002年8月13日生まれ、長野県長野市出身。173cm、70kg

サッカー歴 長野FCガーフ ▶AC長野パルセイロU-15 ▶湘南ベルマーレU-18 ▶湘南ベルマーレ ▶KVコルトレイク（ベルギー）

※2019年、2020年湘南ベルマーレ2種登録

勝利のために

**第19節名古屋戦で引き分けたベルマーレは、第20節G大阪戦で勝利を手にした。
そこから約2カ月にわたって勝ち星から遠ざかり、もどかしい時期が続いていく。
迎えた第28節川崎戦、チームが一丸となって逆転勝利を飾り、勝点の積み上げに成功する。
名古屋戦から川崎戦までリーグ戦計8試合の軌跡を写真で振り返る。**

写真=兼子愼一郎、野口岳彦、木村善仁（8PHOTO）
Photography by Kaneko Shin ichiro, Noguchi Takehiko, Kimura Yoshihito（8PHOTO）

Kaneko Shin-ichiro

7月2日(土)19：03　レモンガススタジアム平塚

明治安田生命J1リーグ第19節

湘南ベルマーレ　0-0　名古屋グランパス

湘南得点　――

Photography by Kaneko Shin-ichiro

リーグ戦2連勝中のベルマーレがホームに名古屋を迎えた。15分、池田昌生からパスを受けた町野修斗が左足でゴールを狙うが枠をとらえられない。32分、瀬川祐輔の折り返しに再び町野が左足で合わせるもシュートはバーの上。80分、後半途中出場のタリクが狙ったミドルシュートはポストに直撃する。89分には名古屋・稲垣祥の強烈なミドルシュートを谷晃生が間一髪ストップ。両チーム決定機を生かせずスコアレスドローに終わった。

RIZAP

7月6日(水)19:03　レモンガススタジアム平塚

明治安田生命J1リーグ第20節

湘南ベルマーレ 1-0 ガンバ大阪

湘南得点　43分 大橋祐紀

Photography by Kaneko Shin　ichiro

GKは谷晃生に代わり馬渡洋樹がゴールマウスに立った。大野和成が3バックの中央に入り、瀬川祐輔と大橋祐紀が2トップを組んだ。43分、池田昌生が右サイドからゴール前にクロスを上げると、大橋が頭で合わせてベルマーレが先制する。59分、田中聡の縦パスに大橋が反応して、最後は瀬川がシュートを放つがゴール右に外れる。80分に杉岡大暉が2枚目のイエローで退場して10人になる中、前半に挙げた1点を守り切り、リーグ戦6勝目を挙げた。

産業能率大学
7
SATOSHI
8

DAICEL
RIZAP
42
GOALS

MELDIA

7月10日(日)18:03　エディオンスタジアム広島

明治安田生命 J1リーグ第21節

サンフレッチェ広島 1-1 湘南ベルマーレ

湘南得点　52分 池田昌生

Photography by Kimura Yoshihito（8PHOTO）

山本脩斗が3バックの左に入り、平岡大陽がサイドボランチで3月以来のリーグ戦スタメンをつかんだ。14分、池田昌生からのパスを受けた舘幸希が右足を振り抜き広島ゴールを脅かす。41分には平岡がミドルシュートを狙うが相手GKにはじかれる。52分、高橋諒が左サイドからグラウンダーのクロスを供給して、石原広教がスルー、最後は池田が右足を振り抜きベルマーレが先制する。しかし、67分にCKから失点を喫し、ドローで試合を終えた。

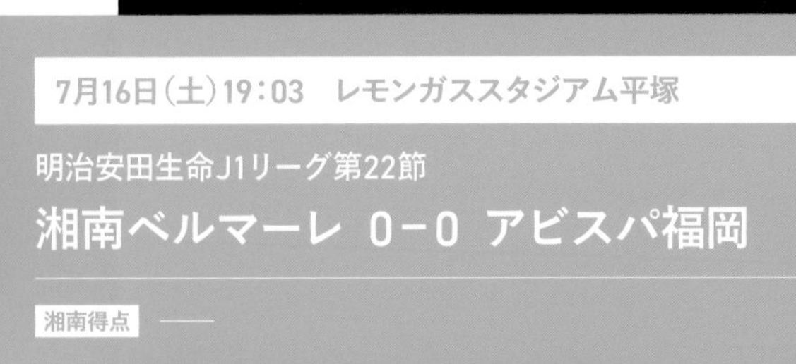

7月16日(土)19:03　レモンガススタジアム平塚

明治安田生命J1リーグ第22節

湘南ベルマーレ　0-0　アビスパ福岡

湘南得点　――

Photography by Kaneko Shin'ichiro

町野修斗が3試合ぶりにスタメン復帰。前節出場停止だった杉岡大暉も戻ってきた。55分、杉岡のFKを相手守備陣が跳ね返すと、杉岡が左サイドを縦に突破して中にクロスを上げる。ゴール前まで侵入してきた舘幸希が左足で合わせたもののシュートはゴール左に外れる。66分に新加入の阿部浩之が入り、78分には同じく新加入の中野嘉大がピッチに送り込まれる。しかし、福岡の固い守備を破ることはできず、2試合連続のドローに終わった。

日本製薬
DIA

MELDIA
RIZAP
FUKUOKA
産業能率大学
8
KAZU

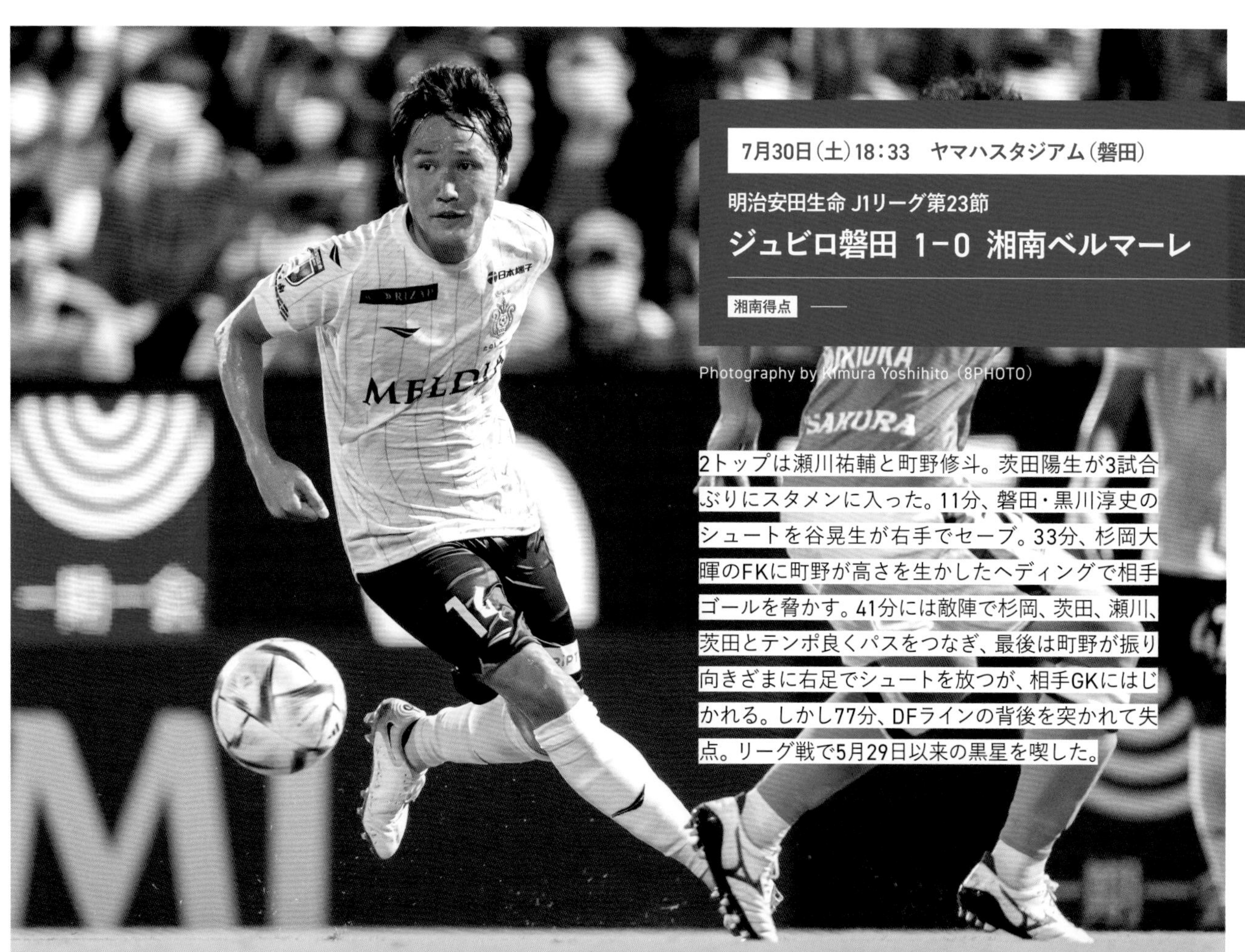

7月30日(土)18:33　ヤマハスタジアム(磐田)

明治安田生命 J1リーグ第23節

ジュビロ磐田 1-0 湘南ベルマーレ

湘南得点 ——

Photography by Kimura Yoshihito（8PHOTO）

2トップは瀬川祐輔と町野修斗。茨田陽生が3試合ぶりにスタメンに入った。11分、磐田・黒川淳史のシュートを谷晃生が右手でセーブ。33分、杉岡大暉のFKに町野が高さを生かしたヘディングで相手ゴールを脅かす。41分には敵陣で杉岡、茨田、瀬川、茨田とテンポ良くパスをつなぎ、最後は町野が振り向きざまに右足でシュートを放つが、相手GKにはじかれる。しかし77分、DFラインの背後を突かれて失点。リーグ戦で5月29日以来の黒星を喫した。

8月7日(日)19：03　レモンガススタジアム平塚

明治安田生命J1リーグ第24節

湘南ベルマーレ 1-5 北海道コンサドーレ札幌

湘南得点　79分 阿部浩之

Photography by Noguchi Takehiko

勝点で並ぶ札幌との対戦。アンカーには米本拓司が入り、阿部浩之が加入後初スタメン。9分、札幌に先制点を許すと、その5分後にも得点を奪われる。29分、町野修斗が負傷により大橋祐紀と交代。41分にも失点する中、後半開始から中野嘉大とタリクが入り反撃を試みる。しかし、69分と72分にもゴールを奪われ苦しい展開に。79分に大橋から中野につないで最後は阿部が移籍後初ゴールを挙げたものの、チームは大敗を喫して今後に不安を残した。

RIZAP
日本端子
MELDIA

8月21日(日)19:03　レモンガススタジアム平塚

明治安田生命J1リーグ第26節

湘南ベルマーレ 1-1 鹿島アントラーズ

湘南得点　74分 瀬川祐輔

岡本拓也が戦列に復帰し、DFラインは大野和成と舘幸希の3人で試合に臨んだ。47分、米本拓司のスルーパスに瀬川祐輔が反応して左足でシュートを放つも相手GKに止められる。53分には鹿島・安西幸輝のシュートを谷晃生が右手ではじくスーパーセーブ。59分、鹿島・エヴェラウドにゴールを許してしまう。しかし74分、茨田陽生のCKから大野和成がヘディングで折り返し、最後は瀬川が頭で合わせて執念の同点ゴールを挙げた。

Photography by Kaneko Shin-ichiro

RIZAP
MELDIA
8
RIZAP
MELDIA
14
RIZAP
MELDIA
24
RIZAP
MELDIA
22
RIKUTO
RISO

RIZAP
3
28
18

ELDIA
13

9月3日(土)19:04　レモンガススタジアム平塚

明治安田生命J1リーグ第28節

湘南ベルマーレ 2−1 川崎フロンターレ

湘南得点　53分 町野修斗(PK)、90+3分 阿部浩之

Photography by Kimura Yoshihito（8PHOTO）

暫定首位の川崎をホームに迎えた一戦。平岡大陽が4試合ぶりのスタメン。中野嘉大が加入後初スタメン。米本拓司が出場停止でアンカーには茨田陽生が入った。20分にCKから失点して前半を0-1で折り返す。53分に町野修斗がPKを獲得すると、ゴール左隅に決めて同点とする。指揮官は62分に山田直輝、78分に阿部浩之、池田昌生、舘幸希、87分にウェリントンをピッチに送り出して流れを引き寄せる。90+3分、杉岡大暉の縦パスを阿部がスルー。山田が左サイドからゴール前にグラウンダーのパスを出すと、最後は阿部が右足を振り抜いてついに逆転。7月6日以来約2カ月ぶりの勝利を手にした。

LEAGUE

産業能率大学
49
ABE
2022
安田生命 J1 LEAGUE
LEAGUE
年構想
49
44
MELDIA

Column

自分たちのあるべき戦い

文＝隈元大吾　Text by Kumamoto Daigo

残り10試合を前に山口智監督は口にした。

「結果を出せていないので、まだまだ上を目指さなければいけない。後悔のないようにやっていかなければならないと、より強く思います」

平坦な道のりではない。開幕からリーグ戦未勝利が続き、厳しい戦いが続く中で新型コロナウイルスもチームを襲った。それでも第9節G大阪戦で今シーズン初勝利を挙げ、第14節に勝点で並ぶ神戸を下して最下位を脱すると、翌節にはリーグ3連覇を目指す川崎を相手に快勝を収めた。続くC大阪戦は敗れたが、FC東京と京都を下して2連勝で6月を締めくくった。

さらなる飛躍を期した7月はしかし、波に乗り切れなかった。第19節名古屋戦のスコアレスドローを皮切りに1勝3分けと負けなしを重ねるも、4試合で1得点と攻撃の課題が浮き彫りとなった。そうして迎えた磐田戦は拮抗した展開の末に0-1で惜敗し、続く札幌戦は1-5と大敗を喫してしまう。

混戦模様のリーグ戦、追手の足音が再び背中から忍び寄る中で、しかし勝点と引き換えに、より明確になったものがある。あるべき自分たちの戦いだ。とりわけ強度が褪せた札幌戦の敗北は、チームとして足元を見つめる得難い契機だったと言えるだろう。

「行く行かないの判断もそうだし、前から行くにしろ、相手を引き込むにしろ、中途半端だった」。アンカーを務める米本拓司は率直に振り返る。前線で攻守を引っ張る瀬川祐輔も、「球際や切り替え、対人など自分たちのベースとなる部分にフォーカスして練習した」と、札幌戦の反省と皆で向き合ったことを明かした。

果たして、残り10試合の節目となった鹿島戦では強度高く攻撃的な守備を傾け、3試合ぶりに勝点を手にした。続く川崎戦でも首位チームを攻守に凌駕し、ゲームを主導した。試合終了間際、阿部浩之がクールに仕留めて手繰り寄せた6試合ぶりの白星は、今シーズン初の逆転勝利でもあった。

茨田陽生と大橋祐紀が今号の対談で語ったように、彼らは大敗のたびに選手だけで話し合い、意思統一を図って次に臨んだという。例えば清水戦後の福岡戦、またC大阪戦後のFC東京戦もそうだろう。前述の鹿島戦も然りだ。苦い経験を糧に自分たち自身を見つめ、立て直し、その戦いをより強固なものへと押し上げてきた。くだんの川崎戦は、そんな彼らの足跡のひとつの結晶だった。

もちろん、得点力は変わらずに突き詰めるべき課題であり、取り組みは日々弛まずに続けられている。今シーズンも佳境を迎える中で、彼らはあるべき自分たちの戦いを携え、さらなる上を目指し、結果を求めていく。

Training days

7月・8月 馬入ふれあい公園サッカー場

練習公開日の馬入に行くとさまざまな光景を見ることができる。
どんなときも積極的に声を出してチームの士気を高める選手。
実戦さながらの強度でボールに向かって存在感を示す選手。
コーチと共に最後までグラウンドに残って黙々と練習に励む選手。
地道に努力を積み重ねて、次の試合でメンバー入りを目指す。

Photography by Onishi Toru

relume
JOURNAL STANDARD

relume
JOURNAL STANDARD

relume
JOURNAL STANDARD

relume
JOURNAL STANDARD

relume
JOURNAL STANDARD

SHONAN DAYS

ISSUE 02

湘南デイズ ISSUE 02

発行
株式会社アトランテ
105-0003 東京都港区西新橋2-4-3-6F
https://atlante.jp
☎03-6403-0370
E-mail support@atlante.jp

発行人・編集長
大西 徹 Onishi Toru

デザイン
大池 翼 Oike Tsubasa

表紙写真
兼子慎一郎 Kaneko Shin-ichiro

協力
株式会社湘南ベルマーレ

発行日 2022年9月17日

編集後記

今シーズンは月日の流れが速いと思いませんか？ 夏が終わったばかりだというのに残りの試合はあとわずか。気がつけばJリーグは終盤に差し掛かっています。今回はピッチで躍動する選手たちの姿をなるべくたくさん掲載しようと考えて制作を進めました。選手たちの写真をあらためて見直すと、スタジアムで心に刻まれたシーンが鮮明によみがえってきます。巻頭ページでは選手たちがお互いの印象やこれまでの手応え、終盤戦の意気込みを語ってくれました。緊張感の高まる試合で彼らがどのように躍動する姿を見せてくれるのか。最後までたのしむ気持ちを忘れずに取材を続けます。（大西）

Printed in Japan ISBN 978-4-910275-04-8